Dirección y coordinación editorial | Editorial direction and coordination | *Direction et coordination de l'édition*
Felisa Martínez
Textos | Texts | *Textes*
Martín Comamala
Fotógrafo | Photographer | *Photographies*
Ariel Mendieta
Fotógrafos invitados | Guest Photographers | *Crédits photographiques*
Nicolás Anguita, Enrique Limbrunner, Pepe Mateos, Diego Martínez, Sergio Policastro, Jorge Lusky, Adolfo Scaglioni
Editor fotográfico | Photograph editor | *Edition photographique*
Nicolás Anguita
Retoque de imágenes | Photo retouching | *Retoucheur photographe*
Nicolás Foong
Diseño y diagramación | Design and layout | *Réalisation et conception graphique*
Guadalupe Piccioni
Corrección de textos | Text corrections | *Correction de textes*
Sabrina Comamala
Traducción al inglés | English translation | *Traduction au anglais*
Carla Sazunic
Traducción al francés | French traslation | *Traduction au français*
Philippe Allemand

Tel.: (54-11) 4371-4424, Cel.: 011-1540557608
www.edifellibros.com.ar | info@edifellibros.com.ar | edifellibros@yahoo.com.ar

Comamala, Martín
Argentina en imágenes : Argentina in images (inglés), Argentine en images (francés) / Martín Comamala ; coordinado por Felisa Martínez ; dirigido por Felisa Martínez. - 1a ed. - Buenos Aires : Edifel Libros, 2009.
144 p. ; 21x21 cm.

Traducido por: Philippe Allemand y Carla Sazunic
Edición Trilingüe español, inglés, francés
ISBN 978-987-22147-4-6

1. Fotográfico. I. Martínez, Felisa, coord. II. Martínez, Felisa, dir. III. Allemand, Philippe, trad. IV. Sazunic, Carla, trad. V. Título
CDD 770

Fecha de catalogación: 18/03/2009

Argentina
en imágenes

Español | English | Français

Indice

Index I *Indice*

CENTRO

Como una infinidad de imágenes reflejadas por los espejos de un caleidoscopio, la región central del país se descompone en símbolos donde la polifacética fisonomía de la urbe se diluye en las frías aguas de la costa atlántica, o donde las pampas de perfectos horizontes se funden complacientes con los valles serranos del corazón mismo de la República Argentina. Buenos Aires y Córdoba son las provincias que conforman el centro del territorio argentino y en las singularidades de cada una de ellas se sintetiza gran parte de la rica historia de la Nación.

Sobre los extensos márgenes del Río de la Plata, Buenos Aires se levanta como una metrópolis fascinante que sorprende por su multiplicidad de estilos. Barrios elegantes y sofisticados como Puerto Madero, Palermo o Recoleta conviven con otros como San Telmo y La Boca, que en sus coloridas calles de adoquín y en el aspecto colonial de sus fachadas conservan la identidad de aquellos conventillos que albergaban inmigrantes españoles, italianos o paisanos que buscaban mejor suerte en la capital del país. Calles de características europeas por sus líneas arquitectónicas, la Avenida 9 de Julio, que se jacta de ser la más ancha del mundo, el arte y la cultura, un delta que derrocha verde, el fútbol y el tango que expresan el vivir y el sentir porteño, la distinguen como una de las ciudades más importantes del mundo.

Tierras adentro, el sol pareciera deslizarse sobre la vasta llanura tiñiendo de ocre el paisaje, el aire del campo se apodera de cada rincón y la solitaria figura del gaucho galopando su caballo es quien representa el espíritu y la tradición más pura de un país que fue conocido como "el granero del mundo", gracias a las bondades del clima y de sus suelos.

La provincia de Córdoba se extiende sobre encantadores valles que se desarrollan en las Sierras Grandes desde la zona oeste y desde el este en las Sierras Chicas, dando forma a los Valles de Calamuchita, Punilla y Traslasierra. Comprenden la transición justa entre la planicie y la montaña.

Buenos Aires
Avenida 9 de Julio con el Obelisco
9 de Julio Avenue and the Obelisk
Avenue du 9 Juillet et l' Obélisque

► **(P. 9)** Tango

Centre

Like an infinity of images reflected by the mirrors of a kaleidoscope, the central region of the country splits into symbols where the multifaceted features of the city dissolve in the cold waters of the Atlantic Coast, or where the Pampas –with their perfect horizons- pleasingly merge with the mountain valleys at the very heart of the Argentine Republic. Buenos Aires and Córdoba are the provinces that constitute the centre of the territory and, in the singularities they present, a great part of the rich history of the nation can be summarized.

On the extensive banks of the Río de la Plata, Buenos Aires springs up like a fascinating metropolis that surprises with its variety of styles. Elegant and sophisticated neighbourhoods such as Puerto Madero, Palermo or Recoleta coexist with others like San Telmo and La Boca, which -with their colourful cobblestoned streets and the colonial aspect of their facades- preserve the identity of the tenements which used to shelter Spanish and Italian immigrants, or peasants seeking better luck in the Argentine capital city. Streets with European characteristics in their architectural lines, 9 de Julio Avenue -wich takes pride in being the widest one in the world, art and culture, a delta with exuberant greens, tango and football expressing how porteños live and feel, make Buenos Aires one of the most important cities in the world.

Moving up the country, the sun seems to be sliding along the vast lowlands, dyeing the landscape with different shades of ochre. The country air takes hold of every corner and the lonely figure of a gaucho galloping on a horse represents the spirit and purest tradition of a country which came to be known as "the breadbasket of the world", thanks to the virtues of its weather and soil.

The province of Córdoba extends over enchanting valleys which developed around the Sierras Grandes coming from the west and the Sierras Chicas from the east, forming Calamuchita, Punilla and Traslasierra. They comprise the perfect transition between plains and mountains.

Le Centre

Comme une infinité d'images reflétées par les miroirs d'un calidoscope, la région centrale du pays se décompose en symboles où l'éclectique physionomie du grand centre urbain se dilue dans les eaux froides de la côte atlantique, ou encore dans les "pampas" aux horizons parfaits qui se fondent dans les vallons montagneux du cœur même de la République Argentine. Buenos Aires et Córdoba *sont les provinces qui forment le centre du territoire argentin et dans les particularités de chacunes d'elles se concentre une grande partie de la riche histoire de la Nation.*

Sur les longues rives du Río de la Plata, Buenos Aires *surgit comme une facinante métropole qui surprend par sa multiplicité de styles. Elégants et sophistiqués quartiers comme ceux de* Puerto Madero, *de* Palermo *ou de la* Recoleta *convivent avec d'autres comme* San Telmo *et* La Boca, *qui, avec les couleurs de leurs rues pavées et l'aspect colonial de leurs façades, conservent l'identité de ces pensions de famille qui hébergaient des immigrants espagnols, italiens, et des gens de la province venus à la recherche d'un meilleur futur dans la capitale du pays. Rues de caractéristiques europeennes de par leurs styles architecturals, l'Avenue du 9 Juillet qui se vante d'être la plus large du monde, l'art et la culture, un estuaire qui regorge de verdure, le football et le tango, autant de caractéristiques qui expriment l'art de vivre et la sensibilité typique de* Buenos Aires *et qui la distinguent comme l'une des villes les plus importantes au monde.*

A l'interieur des terres, le soleil semble se glisser sur la vaste plaine en donnant une teinte ocre au paysage, l'odeur de la campague s'approprie du moindre recoin et la figure solitaire du gaucho cavalant sur son cheval est celle qui représente l'esprit et la tradition la plus pure d'un pays qui fut connu comme "le grenier du monde", grâce aux bontés de son climat et de son sol.

La province de Córdoba *se déploie sur d'attrayantes vallées qui s'étendent dans les* Sierras Grandes *depuis la zone ouest et depuis les* Sierras Chicas *à l'est, formant ainsi les Vallées de* Calamuchita, *de* Punilla *et de* Traslasierra. *Elles se situent juste à la transition entre la plaine et la montagne.*

Buenos Aires
Caminito, La Boca
Caminito, La Boca
Caminito, *quartier de* La Boca

Buenos Aires
Puente Nicolás Avellaneda, La Boca
Nicolás Avellaneda bridge, La Boca
Pont Nicolás Avellaneda*, quartier de* La Boca

◄ **(P. 12-13)** Bandoneón

Buenos Aires
Escenario principal del Teatro Colón
Main stage at the Colón Theatre
Scène principale du Théatre Colón

► **(P. 16)** Buenos Aires
Equitación | Aeroparque | Retrato de Carlos Gardel | Fiesta gaucha
Horse riding | Airport | Carlos Gardel portrait | Gaucho party
Equitation | Aéroport | Portrait de Carlos Gardel | Fête de gauchos
(P. 17) Buenos Aires
Pirámide de Mayo | Bar 36 Billares | Feria de antigüedades en San Telmo | Banda del Regimiento Patricios
Pirámide de Mayo monument | "36 Billares" bar | San Telmo antique fair | Patricios Regiment Band
Pyramide de Mai | Bar "36 Billares" | Foire des antiquaires de San Telmo | Ensemble du Régiment des Patricios

Buenos Aires
Planetario Galileo Galilei
Galileo Galilei Planetary
Planétarium "Galilée"

Buenos Aires
Puente de La Mujer, Puerto Madero
Women´s Bridge, Puerto Madero
Passerelle de La Femme, Puerto Madero

unicef
MEGATO

Buenos Aires
Superclásico Boca - River y estadio del Club Atlético River Plate
Boca vs. River football match and River Plate Athletic Club stadium
Traditionnel match entre Boca Junior *et* River Plate, *stade du* Club Atlético River Plate

► **(P. 22-23)** Provincia de Buenos Aires
Delta del río Paraná, Tigre
Paraná river delta, Tigre
L' estuaire du fleuve Paraná, Municipalité de Tigre

NAHIME

GATO BLANCO
DON ANGEL S

Provincia de Buenos Aires
Fiesta criolla y asado, San Antonio de Areco
Criollo celebration and *asado*, San Antonio de Areco
Fête de gauchos et barbecue à San Antonio de Areco

► (P. 26-27) Llanura pampeana
The Pampas
Plaine de la Pampa

◄ **(P. 28-29)** Provincia de Buenos Aires
Fiesta del día de la tradición, San Antonio de Areco
Tradition day festival, San Antonio de Areco
Fête du jour de la tradition à San Antonio de Areco

Provincia de Buenos Aires
Costa atlántica argentina
Argentine Atlantic coast
Côte atlantique argentine

Provincia de Buenos Aires
Puerto de Mar del Plata
Mar del Plata port
Port de Mar del Plata

► **(P. 32-33)** Provincia de Buenos Aires
Ciudad de Mar del Plata
Mar del Plata City
Ville de Mar del Plata

Provincia de Córdoba
Dique los Molinos, Valle de Calamuchita
Los Molinos dyke, Calamuchita Valley
Barrage Los Molinos, *Vallée de* Calamuchita

Provincia de Córdoba
Arroyo en Mina Clavero
Stream in Mina Clavero
Ruisseau de Mina Clavero

PATAGONIA

Un paraíso que se pierde inmerso en la lejanía de sus infinitos horizontes, entre montañas de eternas cumbres que parecen cuidar la dulce calma de lagos, cuyas aguas espejan la sublime armonía del paisaje. Solitaria, la Patagonia se entrega a la aridez de la estepa y se rinde ante azulados hielos de extrañas formas que en sus lentos movimientos aparentan respetar el conmovedor silencio de la naturaleza; el mismo que respetaron aquellos intrépidos aventureros que alguna vez supieron desafiar los hostiles e inexplorados territorios del sur del continente americano.

Su geografía agrupa las provincias de La Pampa, Neuquén, Río Negro, Chubut, Santa Cruz y Tierra del Fuego. Está conformada por una meseta escalonada, circundada por el océano Atlántico hacia el este y por la Cordillera de los Andes hacia el oeste. La porción andina está constituida por bosques, lagos y cadenas montañosas, mientras que la extra andina comprende desérticas mesetas pobladas por estancias que establecieron allí un lugar propicio para la crianza de ganado, fundamentalmente ovino y vacuno.

Los suelos patagónicos atesoran la historia de ancestrales comunidades aborígenes desde los tiempos en que sólo el viento era quien hacía frente a sus confines. Sus primeros habitantes fueron los indios tehuelches, a excepción de la región fueguina que se encontraba poblada por los yámanas. Los araucanos que cruzaron la Cordillera, provenientes desde Chile, fueron otro gran grupo que se asentó en la zona. Las ambiciosas aspiraciones del hombre por conquistar nuevos mundos impulsaron desde Europa costosas expediciones que, organizándose en colonias, fueron protagonistas del incansable desarrollo económico de estas tierras.

Los Parques Nacionales Nahuel Huapi, Lanín, Los Alerces, Lago Puelo, Los Arrayanes, Los Glaciares y Tierra del Fuego, entre otros, dan vida a recorridos que generan un magnetismo único, con imágenes que parecen haber sido extraídas de cuentos fantásticos en los que pequeños duendes y bellas hadas jugaban y desaparecían entre los mágicos colores del entorno.

Provincia de Santa Cruz
Glaciar Perito Moreno
Perito Moreno glacier
Glacier Perito Moreno

► **(P. 39)** Provincia de Chubut
Ballena franca austral, Puerto Madryn
Southern right whale, Puerto Madryn
Baleine franche australe, Puerto Madryn

Patagonia

A paradise that gets lost in the distance of its endless horizons, among mountains of eternal summits which seem to be looking after the sweet calm of its lakes, where the sublime harmony of the landscape is reflected in its waters. Solitary, Patagonia gives in to the aridity of the steppe and surrenders before strange blue ice forms that, in their slow movements, look as if they respected nature's breathtaking silence; similar to those intrepid adventurers who once defied the hostile and unexplored territories from the south of the continent.

Its geography includes the provinces of La Pampa, Neuquén, Río Negro, Chubut, Santa Cruz and Tierra del Fuego. The territory is shaped by a terraced plateau, surrounded by the Atlantic Ocean to the east and the Andes to the west. The Andean region is made up of forests, lakes and mountain chains, whereas, towards the east, there are deserted plains with farms that have made this a favourable place for raising cattle, mainly ovine and bovine.

The Patagonian soil treasure the history of ancient native communities from the times when only the wind faced its limits. The first inhabitants were the Tehuelche Indians, except for Tierra del Fuego, which was populated by the Yamana. The Araucanian, who crossed the mountain ranges from Chile, were another large group who settled in the area. The ambitious aspirations of man to conquer new worlds encouraged costly expeditions to come from Europe and, organizing themselves into colonies, they had a central role in promoting the arduous economic development of these lands.

Nahuel Huapi, Lanín, Los Alerces, Lago Puelo, Los Glaciares and Tierra del Fuego national parks, among others, give life to journeys of unique magnetism, with images that seem to have been taken from fantastic stories in which tiny elves and beautiful fairies play and disappear into the magical colours of the surroundings.

La Patagonie

Un paradis qui se perd plongé dans le lointain de ses horizons infinis, parmi des montagnes aux cimes couvertes de neiges éternelles qui semblent protéger la douce tranquillité des lacs, réfléchissant la sublime harmonie du paysage. Solitaire, la Patagonie se livre à l'aridité de la steppe et cède devant les étranges formes de ses bleus glaciers qui dans la lenteur de leurs mouvements paraissent respecter l'émouvant silence de la nature; le même qu'ont respecté ces intrépides aventuriers qui, il fut un temps, furent capables de défier les hostiles et inexplorés territoires du sud du continent américain.

Sa géographie regroupe les provinces de La Pampa, de Neuquén, de Río Negro, de Chubut, de Santa Cruz et de la Tierra del Fuego. Elle est composée d'un plateau en escalier entouré par l'océan Atlantique du coté est et la chaîne de la Cordillière des Andes du coté ouest. La partie andine comporte des forêts, des lacs et des chaînes montagneuses tandis que sur le reste de sa géographie, on trouve des hauts plateaux désertiques peuplés d'établissements agricoles qui trouvèrent là un endroit propice pour l'élevage du bétail, principalement ovin et bovin.

Les terres de la Patagonie gardent en mérmoire l'histoire d'ancestrales communautés aborigènes remontant aux temps où seul le vent faisait face à ses étendues confinées. Ses premiers habitants furent les indiens Tehuelches, à l'exception de la région de la Terre de Feu qui était peuplée par les Yamanas. Les Araucanes qui traversèrent la Cordillière des Andes, en provenance du Chili furent un autre grand groupe ethnique qui s'installa dans la région. Les ambitieuses aspirations de l'homme pour partir à la conquête de nouveaux horizons ont motivé, depuis l'Europe, de coûteuses expéditions qui, s'organisant en colonies, furent les protagonistes de l'infatiguable développement économique de ces contrées. Les Parcs Nationaux du Nahuel Huapi, du Lanín, de Los Alerces, du Lago Puelo, de Los Arrayanes, de Los Glaciares et de la Tierra del Fuego, entre autres, sont le cadre de randonnées qui engendrent un magnétisme unique, avec des images qui donneraient l'apparence d'être sorties de contes fantastiques dans lesquels petits lutins et belles fées jouraient et se fondraient entre les couleurs magiques du décor.

Bahía Esperanza, inmediaciones Base Antártica Esperanza, Sector Antártico Argentino
Esperanza bay, Esperanza Base surroundings, Argentine Antarctica
Baie Esperanza, alentours de la Base Antarctique Esperanza, Secteur Antarctique Argentin

Estrecho Bouchard, Mar de Weddell, Sector Antártico Argentino
Bouchard strait, Weddell Sea, Argentine Antarctica
Détroit de Bouchard, Mer de Weddell, Secteur Antarctique Argentin

► **(P. 42-43)** Provincia de Tierra del Fuego
Ciudad de Ushuaia
Ushuaia City
Ville de Ushuaia

Provincia de Tierra del Fuego
Paisaje otoñal en Ushuaia
Autumn scenery in Ushuaia
Paysage d'automne à Ushuaia

Provincia de Tierra del Fuego
Tren del Fin del Mundo
End of the World train
Train de la Fin du Monde

Provincia de Chubut
Antiguo Expreso Patagónico "La Trochita", Esquel
"*La Trochita*" Old Patagonian Express, Esquel
Ancien Train Express Patagonique "La Trochita", *Ville d'* Esquel

► **(P. 48-49)** Provincia de Chubut
Arreo de ovejas
Sheep herding
Troupeau de moutons

◄ **(P. 50-51)** Provincia de Santa Cruz
Estancia El Galpón del Glaciar
El Galpón del Glaciar ranch
Etablissement agricole El Galpón del Glaciar

Provincia de Santa Cruz
Detalle de hielo, Glaciar Perito Moreno
Ice detail, Perito Moreno Glacier
Détail du Glacier Perito Moreno

► **(P. 54-55)** Provincia de Santa Cruz
Glaciar Upsala
Upsala Glacier
Glacier Upsala

Provincia de Santa Cruz
Glaciar Perito Moreno, Parque Nacional Los Glaciares
Perito Moreno glacier, Los Glaciares National Park
Glacier Perito Moreno, *Parc National* Los Glaciares

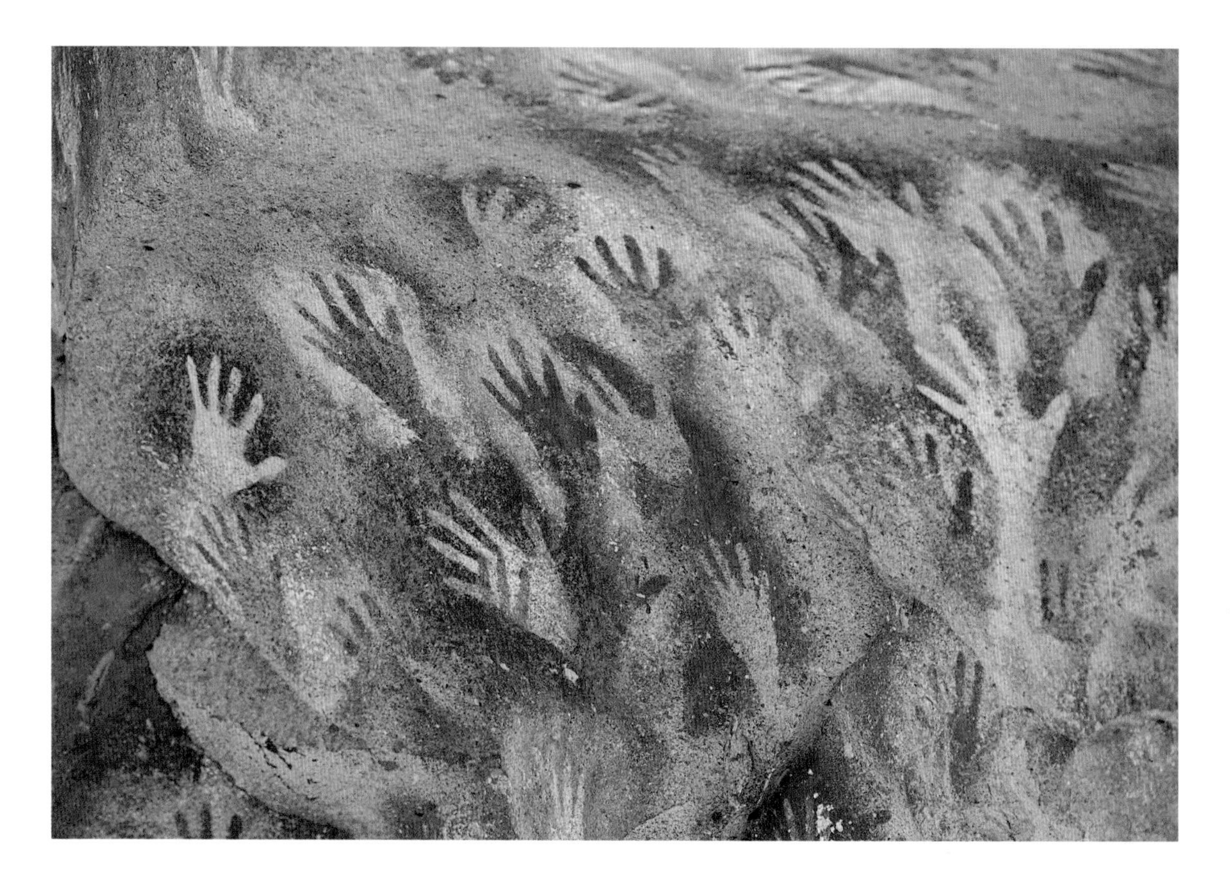

Provincia de Santa Cruz
Cueva de las Manos
Cave of the Hands
Grotte des Mains

Provincia de Santa Cruz
Alero de Charcamata, estancia Cueva de las Manos
Alero de Charcamata, Cave of the Hands ranch
Auvent de Charcamata, établissement agricole Grotte des Mains

► **(P. 60-61)** Provincia de Chubut
Estepa patagónica
Patagonian steppe
Steppe patagonique

◄ **(P. 62)** **Zorro colorado I Gaviotín sudamericano**
Guanacos I Bandurria
Cóndor I Pingüino de penacho amarillo
Andean fox I South American terns
Guanacos I Buff-necked Ibis
Andean condor I Southern rockhopper penguin
Renard roux I Mouette sudaméricaine
Guanaco I Bandurria
Condor I Pingouin au panache jaune
(P. 63) **Carneros**
Rams
Béliers

Provincia de Neuquén
Trineo en cerro Chapelco, San Martín de los Andes
Sled in Chapelco, San Martín de los Andes
Traineau au cerro Chapelco *à* San Martín de los Andes

► **(P. 66-67)** Provincia de Neuquén
Villa La Angostura
Villa La Angostura
Ville La Angostura

El Bolsón I Cerro Catedral, San Carlos de Bariloche
El Bolsón I Cerro Catedral, San Carlos de Bariloche
El Bolsón I Cerro Catedral, San Carlos de Bariloche

Bosque andino patagónico I Lago Lacar, San Martín de Los Andes
Patagonian rainforest I Lacar lake, San Martín de los Andes
Fôret andine de Patagonie I *Lac* Lacar *à* San Martín de los Andes

► **(P. 70-71)** Provincia de Chubut
Pesca con mosca en el lago Futalaufquen
Fly fishing in Futalaufquen lake
Pêche à la mouche sur le lac Futalaufquen

Cuyo

El término "país de los desiertos" proviene de un vocablo utilizado por las comunidades aborígenes de la zona para definir los áridos territorios que habitaban en tiempos lejanos. Tierras grises que se desparraman entre gigantescas esculturas de roca talladas antojadizamente como si el viento fuera un cincel y la lluvia puliera sus asperezas, contrastan con monumentales paredones rojizos coloreados como si los minerales del mismo suelo fueran las pinturas de un talentoso artista. A un lado la Cordillera de los Andes se levanta imponente y perpetua para formar la estrecha sociedad que une a la montaña con el desierto.

La región de Cuyo, compuesta por las provincias de La Rioja, San Juan, Mendoza y San Luis, se caracteriza por la permeabilidad de sus suelos y templadas temperaturas, bajo un eterno sol que seca el aire. El ingenio del ser humano ha puesto dichas condiciones climáticas directamente a su servicio para obtener terrenos potencialmente fértiles que benefician una economía sustentada principalmente por la industria vitivinícola. La Ruta del Vino es uno de sus atractivos turísticos más relevantes, conecta bodegas, viñedos, antiguas cavas y museos, y permite descubrir el delicado camino de la uva desde que es cosechada hasta la botella. Mendoza es la octava Capital Mundial del Vino y en la primera semana de marzo celebra la Fiesta Nacional de la Vendimia, su varietal más emblemático es el Malbec. A 180 km de la capital mendocina, el Aconcagua -con 6.962 m de altura- es el pico más alto de América y convoca cada verano a cientos de valientes andinistas de todo el mundo que desafían su celosa y silenciosa cumbre.

Si un viaje imaginario a través de una línea de tiempo fuera posible y nos remontara 230 millones de años atrás, el paisaje cuyano sería el de una película en la que feroces dinosaurios luchaban por sobrevivir y determinar quien era el más fuerte. Declarados Patrimonio Natural de la Humanidad por la UNESCO, el Parque Provincial Ischigualasto (San Juan) y el Parque Nacional Talampaya (La Rioja) representan un yacimiento arqueológico y paleontológico de un valor científico incalculable. La Ruta Nacional 40 cierra el circuito en el Parque Nacional Sierra de las Quijadas (San Luis), con acantilados que superan los 200 m de alto.

Provincia de La Rioja
Parque Nacional Talampaya
Talampaya National Park
Parc National Talampaya

▶ **(P. 75)** Provincia de Mendoza
Cosecha de la vid
Harvesting of wine grapes
Vendages

Cuyo

The term "desert country" comes from a word that was used by the native communities of the area to define the arid territories they inhabited in ancient times. Grey lands spread out among giant rock sculptures -capriciously carved as if the wind were a chisel and the rain polished their roughness- which contrast with monumental red walls, coloured as if the minerals in the soil were the paintings of a talented artist. On the one side, the Andes rise, magnificent and everlasting, to form the close society that joins the mountains and the desert.

The Cuyo region, formed by the provinces of La Rioja, San Juan, Mendoza and San Luis, is characterized by the permeability of the earth and its moderate temperatures under the eternal sun that dries the air. Human ingenuity has put these weather conditions directly at its service in order to obtain potentially fertile lands that benefit the economy, supported mainly by the viticultural industry. The Wine Route is one of the most relevant tourist attractions: it connects wineries, vineyards, old cellars and museums and it allows visitors to discover the delicate process the grape undergoes in its journey from the harvest to the bottle. Mendoza is the eighth Wine Capital of the World and during the first week of March, it hosts the National Wine Harvest Festival. Its most emblematic varietal is Malbec. Located 180km from the provincial capital, the Aconcagua -6,962 metres tall- is the highest peak in the Americas and it gathers, each summer, hundreds of fearless mountain climbers from all over the world who challenge its wary and silent summit.

If an imaginary trip along a time line was possible and it took us 230 million years into the past, Cuyo's landscape would seem that of a film in which ferocious dinosaurs fight to survive and to determine who is the strongest. Declared World Heritage Sites by UNESCO, Ischigualasto Provincial Park (in the Province of San Juan) and Talampaya National Park (La Rioja) represent archaeological and paleontological resources of imponderable scientific value. National Route 40 closes the circuit at Sierra de las Quijadas National Park (San Luis), with cliffs over 200 metres high.

La région de Cuyo

Le terme de "pays des désert" vient du vocabulaire utilisé par les communautés aborigènes de cette zone pour définir les territoires arides qu'ils habitaient il y a bien longtemps. Terres grises qui s'éparpillent entre de gigantesques sculptures de roche taillées capricieusement par le vent qui se serait fait burin et par la pluie qui a polie leurs aspérités, constrastant ainsi avec de monumentales murailles de couleurs rougeâtres laissant penser que les minéraux de ce même sol eussent été les œuvres picturales d'un artiste de talent. Sur un coté, l'imposante et perpétuelle Cordillière des Andes se dresse pour former l'étroit ensemble qui unit la montagne avec le désert.

La région de Cuyo, composée des provinces de La Rioja, de San Juan, de Mendoza et de San Luis, se caractérise par la perméabilité de son sol et son climat tempéré, sous un soleil qui assèche perpétuellement l'atmosphère. L'être humain, grâce à son ingèniosité, a mis ces conditions climatiques directement à son service pour obtenir des terrains potentiellement fertiles qui ont permis le développement d'une économie soutenue, en majeur partie, par l'industrie vitivinicole. La Route du Vin est l'une des attractions touristiques les plus réputées : elle rassemble les caves, les vignobles, les anciens chais et les musées, permettant de découvrir le délicat chemin qui va de la grappe de raisin durant les vendanges jusqu'à la mise en bouteille. Mendoza est la huitème Capitale Mondiale du Vin et chaque première semaine du mois de mars on y célèbre la Fête Nationale des Vendanges. Le malbec est le cépage le plus emblématique cultivé ici. A 180 kilomètres de la capitale de Mendoza, l'Aconcagua - avec ses 6962 mètres d' altitude - est le sommet le plus haut d'Amérique et réunit chaque été des centaines d'andinistes intrépides venus du monde entier pour défier sa jalouse et silencieuse cime.

S'il était possible d'imaginer un voyage dans le passé et si nous pouvions remonter vingt - trois millions d'années en arrière, le paysage de Cuyo serait celui d'un film dans lequel de féroces dinosaures luttent pour leur survie selon la loi du plus fort. Déclarés Patromoine Naturel de l'Humanité par la UNESCO, le Parc Provincial Ischigualasto (province de San Juan) et le Parc National Talampaya (province de La Rioja) représentent un gisement arquéologique et paléontologique d'une incalculable valeur scientifique. La route nationale 40 boucle ce circuit avec le Parc National Sierra de las Quijadas (province de San Luis) et ses falaises qui dépassent les 200 mètres de hauteur.

◄ **(P. 76-77)** Provincia de San Juan
Cerro Potosí, Parque Nacional San Guillermo
Cerro Potosí, San Guillermo National Park
Pic de Potosi, Parc National San Guillermo

Provincia de San Juan
"Cancha de Bochas" y "La Esfinge", Parque Provincial Ischigualasto
"Bocce Court" and "The Sphinx", Ischigualasto Provincial Park
"Jeu de Boules" et "Le Sphinx", Parc Provincial Ischigualasto

◄ **(P. 80-81)** Provincia de San Juan
"El Submarino", Parque Provincial Ischigualasto
"The Submarine", Ischigualasto Provincial Park
"Le Sous - marin", Parc Provincial Ischigualasto

Provincia de San Juan
Santa Rosita, Reserva San Guillermo
Santa Rosita, San Guillermo Reserve
Paysage de Santa Rosita, Réserve naturelle de San Guillermo

Provincia de San Juan
Llano de los Leones, Parque Nacional San Guillermo
"Plain of the Lions", San Guillermo National Park
"Plaine des Lions", Parc National San Guillermo

Provincia de La Rioja
Laguna Brava
Brava Lagoon
Lagune Brava

Provincia de San Luis
Parque Nacional Sierra de las Quijadas
Sierras de las Quijadas National Park
Parc National "Sierra de las Quijadas"

Provincia de La Rioja
Quebrada del Cóndor
Quebrada del Cóndor
Ravin du Condor

► **(P. 88-89)** Provincia de Mendoza
Valle de Las Leñas
Las Leñas valley
Vallée de Las Leñas

Provincia de Mendoza
Viñedos y cava
Vineyards and wine cellars
Vignobles et cave

► **(P. 92-93)** Provincia de Mendoza
Cerro Aconcagua
Cerro Aconcagua
Mont Aconcagua

Litoral

La selva enmarañada se recorta entre las formas del río y juntos trazan a su antojo un indescifrable laberinto que expresa vida en su estado más puro y salvaje. Un primitivo camino de rojizos suelos se diluye entre bañados y lagunas, o la jungla se detiene ante una estruendosa cortina de agua que se precipita hacia un profundo abismo. Cada rincón de este hábitat desborda tanta energía, que pone en evidencia la insignificancia del hombre ante la perfección de la sabia naturaleza.

El Litoral reúne a las provincias de Misiones, Corrientes, Entre Ríos, Santa Fe, Chaco y Formosa. El clima es de características subtropicales y su territorio, esencialmente llano, se encuentra rodeado por los ríos Paraná, Uruguay, Pilcomayo, Bermejo y Paraguay. Dichas condiciones geográficas generan en la región una economía de recursos favorecida por la explotación forestal, la industria agrícola y la pesca.

Quién podría imaginar que 200 mil años atrás una falla geológica ocurrida en la región daría origen a tan magnífico espectáculo, como son las Cataratas del Iguazú. Ríos torrentosos que se entregan ante la inmensidad de cada salto, en un escenario natural que revela postales de infinita belleza y que ha sido declarado Patrimonio Natural de la Humanidad. Situadas en el extremo norte de la provincia de Misiones, dentro de los límites del Parque Nacional Iguazú, las Cataratas conforman un abanico de 2.7 km de extensión y -según el caudal que el río arrastre- es posible contemplar unas 275 caídas; la Garganta del Diablo es indudablemente la más impactante.

Sobre una porción más austral de la Mesopotamia, un gigantesco cenagal esconde los sentidos, sonidos y silencios de estas tierras. Los Esteros del Iberá representan una de las reservas de agua dulce más grandes del mundo. Con una superficie de 1.400.000 hectáreas, brindan el espacio propicio para la evolución de un maravilloso ecosistema.

La atrapante historia de los pueblos del noreste argentino echa raíces basándose en los intensos sentimientos de fe religiosa ligados a los tiempos de la colonización. El Circuito Internacional de las Misiones Jesuíticas descubre las riquezas de la sorprendente etapa evolutiva que fusionó las culturas guaraníes con las corrientes evangelizadoras españolas.

Provincia de Corrientes
Esteros del Iberá
Iberá wetlands
Marais de l'Iberá

► (P. 97) Provincia de Misiones
Cataratas del Iguazú
Iguazú falls
Chutes de l'Iguazú

Litoral

The entangled rainforest is defined by the course of the river and together they wander, presenting an outline of an indecipherable labyrinth that expresses life in its purest and wildest form. A primitive trail of red earth dilutes in bogs and lagoons; the jungle stops at a roaring water curtain precipitating into a far-flung abyss. Each corner of this habitat overflows with so much energy that the insignificance of man before the perfection of wise Mother Nature becomes evident.

The area called Litoral consists of the provinces of Misiones, Corrientes, Entre Ríos, Santa Fe, Chaco and Formosa. The weather has got subtropical characteristics and its territory, essentially flat, is surrounded by the rivers Paraná, Uruguay, Pilcomayo, Bermejo and Paraguay. These geographical conditions cause the region to have a resource based economy built on forest logging, farming industries and fishing.

It is hard to imagine how, 200 thousand years ago, a geological fault in the region actually gave birth to such a magnificent sight as the Iguazú Falls. Torrential rivers offer themselves to the immensity of each leap in this natural scenery that reveals pictures of infinite beauty and has been declared a World Heritage Site. Located on the extreme north of the Province of Misiones, within the boundaries of Iguazú National Park, these waterfalls form a semicircle which extends over 2,7km and –depending on the flow volume of the river- up to 275 falls can be seen, the Devil's Throat being without a shadow of a doubt the most impressive.

Down towards a more southern portion of the Mesopotamia, a gigantic quagmire hides the senses, sounds and silences of the land. The Iberá wetlands represent one of the largest freshwater reserves in the world. With a surface of 1,400,000 hectares they provide an environment which is favourable for a wonderful ecosystem to evolve.

The fascinating history of the communities from the north east of the country is rooted in the intense feelings of religious faith from Colonial times. The International Circuit of Jesuit Missions reveals the wealth of the astounding evolutionary stage when the Guarani culture blended with the Spanish evangelist movements.

Le Littoral

La jungle embrousaillée se dessine entre les formes du fleuve et ensemble tracent, à leur guise, un indéchiffrable labyrinthe qui exprime la vie dans son état le plus pur et le plus sauvage. Datant des temps primitifs un chemin de terre rouge se dilue entre les marais et les lagunes, ou encore la jungle s'arrête devant un fracassant rideau d'eau qui se précipite vers de profonds abîmes. Chaque recoin de cet habitat déborde de tant d'énergie, qu'il met en évidence l'insignifiance de l'homme face à la perfection de la sage nature.

Le Littoral réunit les provinces de Misiones, de Corrientes, de Entre Ríos, de Santa Fe, du Chaco et de Formosa. Le climat possède des caractéristiques subtropicales et la configuration de son territoire, essentiellement plat, est entouré par les fleuves Paraná, Uruguay, Pilcomayo, Bermejo et Paraguay. De telles conditions géographiques donnent naissance à des ressources économiques favorisées par l'explotation forestière, l'industrie agricole et la pêche.

Qui pourrait imaginer qu'il y a deux cent mille ans de cela, une faille géologique produite dans la région aurait pu être à l'origine d'un spectacle de magnificence tel que celui des Chutes d'Iguazú. Fleuves torrentiels qui se livrent à l'immensité de chaque cascade, parmi un décor naturel que l'on retrouve dans des cartes postales d'une infinie beauté et qui a été déclaré Patrimoine Naturel de l'Humanité.

Situées à l'extrême nord de la province de Misiones, dans les limites du Parc National Iguazú, les Chutes représent un éventail de 2,7 kilomètres d'expansion et – en fonction du débit apporté par le fleuve - il est possible de contempler un total de 275 chutes; la Gorge du Diable est, sans aucun doute, celle qui provoque la plus forte impression. Dans une partie plus australe de la Mesopotamia, un gigantesque bourbier masque les sensations, les sons et les silences de ces terres. Les Marais de l'Iberá constituent l'une des plus grandes réserves d'eau douce de la planète. Avec une superficie de 1.400.000 hectares, ils offrent un espace propice pour l'évolution d'un merveilleux écosystème.

La facinante histoire des populations du nord - est argentin a pu se construire en se basant sur le haut degré de leur foi religieuse héritée des temps de la colonisation.

Le Circuit International des Missions Jésuites montre bien les richesses de la surprenante étape évolutive de l'intégration des cultures guaranies avec les courants évangélisateurs espagnols.

◄ **(P. 98-99)** Provincia de Entre Ríos
Palacio San José
San José palace
Palais "San José"

Provincia de Entre Ríos
Carnaval de Gualeguaychú
Gualeguaychú carnival
Carnaval de Gualeguaychú

◄ **(P. 102)** Provincia de Entre Ríos
Parque Nacional El Palmar
El Palmar National Park
Parc National El Palmar
(P. 103) Provincia de Santa Fe
Plantación de girasoles
Sunflower plantations
Plantation de tournesols

Provincia de Corrientes
Esteros del Iberá
Iberá wetlands
Marais de Iberá

Garza mora | Yacaré overo
Cocoi heron | Broad-snouted caiman
Héron | Caïman

◄ **(P. 106-107)** Provincia de Misiones
Vista panorámica de Isla y Salto San Martín, Parque Nacional Iguazú
Panoramic view of San Martín island and waterfall, Iguazú National Park
Vue panoramique de l' Ile et Chute San Martín, Parc National de Iguazú

Tucán grande o toco | Aguila crestada negra
Toco toucan | Buteoninae eagle
Grand Toucan | Aigle crête noire

◀ **(P. 110-111)** Provincia de Misiones
Amanecer y luna llena en la Garganta del Diablo
Sunrise and full moon at the Devil's Throat
Lever du jour et pleine lune à la Gorge du Diable

Provincia de Misiones
Saltos del Moconá
Moconá Waterfalls
Chutes de Moconá

Provincia de Misiones
Ruinas de San Ignacio
San Ignacio ruins
Ruines de San Ignacio

NOROESTE

Allí el sol pareciera estar más cerca, sumergido ante la inmensidad de un cielo azul salpicado por blancas nubes, donde la naturaleza se vuelve extrema y ofrece sofocantes días y heladas noches en tierras que se extienden entre valles, quebradas, montañas y cardones. Cada tanto un pueblito aferrado al tiempo y a milenarias costumbres, que anhela y agradece la protección que la Pachamama le devolverá. Así es el noroeste argentino, cargado de imágenes que resuenan como una copla inmortal en cada amanecer. Comprende las provincias de Jujuy, Salta, Catamarca, Tucumán y Santiago del Estero, y contrapone en sus territorios diferentes alternativas geográficas. En la franja oeste, la Puna desafía a la Cordillera de los Andes en zonas ubicadas a 3.500 m de altura sobre el nivel del mar, a lo largo de ella se despliegan elevaciones y ondonadas, interminables salares que parecen perderse en el horizonte y enormes volcanes. En la región montañosa de la parte centro – norte se generan las condiciones climáticas para el desarrollo de la selva subtropical de Yungas, este gran bioma se divide de acuerdo a las diversas altitudes de su flora. Surcados por los ríos Calchaquí y Santa María, los Valles Calchaquíes se disponen de forma longitudinal en el área centro – sur y forman una inmensa depresión geológica compuesta por fértiles valles y desérticas sierras. Hacia el este, el Chaco Seco denota los límites con sus impenetrables montes.

El noroeste envuelve los vestigios de antiguas civilizaciones atrapadas en las asombrosas tonalidades de sus paisajes y en los rostros marcados de su gente. Historias que hablan de comunidades aborígenes que resistieron, como pudieron, desde sus fortalezas los ataques de los colonizadores españoles, o de coloridos cerros que actúan como ondulados escenarios de carnavales y fiestas religiosas. Entre lo terrenal y lo espiritual, la Quebrada de Humahuaca despliega su magnetismo como una obra de arte sobre los suelos jujeños, su existencial calma ya es parte de las formas talladas caprichosamente por la naturaleza como si fuese una escultora. Ha sido declarada Paisaje Cultural de la Humanidad por la UNESCO.

Provincia de Jujuy
Quebrada de Humahuaca
Quebrada de Humahuaca
Faille de Humahuaca

▶ **(P. 119)** Provincia de Jujuy
Caravana de llamas
Llama´s caravan
Caravane de lamas

Northwest

Here the sun seems to be closer, submerged in the immensity of a blue sky splattered with white clouds, where nature becomes extreme and offers scorching days and gelid nights on grounds that extend among valleys, ravines, mountains and cacti. Here and there, little towns holding on to time and ancient traditions, yearning for and thanking the protection the Pachamama will bring them. This is what the Argentine Northwest is like, filled with images that sound like an immortal folk song with each sunrise. It comprises the provinces of Jujuy, Salta, Catamarca, Tucumán and Santiago del Estero and its territory shows the contrast between diverse geographical alternatives. In the Western strip the Puna high plateau challenges the Andes on places located 3,500 metres above sea level with elevations and hollows, endless salt flats that seem to get lost in the horizon and enormous volcanoes. In the mountainous north-central territory the weather conditions allow the development of the subtropical Yungas rainforest. This great biome is divided according to the different altitudes of its flora. Enclosed by rivers Calchaquí and Santa María, the Calchaquí Valleys are laid longitudinally in the south-central region and form an immense geological depression consisting of fertile valleys and deserted mountains. Towards the east, the Dry Chaco defines its boundaries with its impenetrable woodlands.

The Northwest embodies the traces of ancient civilizations trapped in the astonishing shades of its landscapes and in the marked faces of its people. Stories that speak of native communities in their fortresses resisting the attacks of the Spanish colonizers for as long they could, or of colourful mountains that act as if they were undulating stages for carnivals and religious celebrations. Between the earthly and the spiritual, Quebrada de Humahuaca unfolds its magnetism like a work of art on Jujuy's soil. Its calm existence has become part of the shapes nature has fancifully moulded as if it was a sculptor. It has been declared a World Heritage Site by UNESCO.

Nord - Ouest

Ici, on a la sensation que le soleil est plus près, noyé dans l'immensité d'un ciel bleu parsemé de nuages blancs, où la nature devient extrême provoquant des journées suffocantes et des nuits glacées sur ces étendues de terres qui s'étirent entre vallées, ravins, montagnes et champs de chardons. D'ici de - là, un village accroché au temps et à de millénaires coutumes qui vénère et aussi témoigne sa reconnaissance à la protection que lui rendra la Pachamama. *Ainsi est le nord - ouest argentin, chargé d'images qui résonnent comme un refrain immortel à chaque lever du jour. Il se compose des provinces de* Jujuy, *de* Salta, *de* Catamarca, *de* Tucumán *et de* Santiago del Estero, *et juxtapose sur ses terres différentes alternatives géographiques. Du coté ouest, la* Puna *lance un défi à la Cordillière des Andes sur des zones situées à 3.500 mètres d'altitude au dessus du niveau de la mer, sur tout son long s'étendent des élévations et des ondulations de terrains, d'interminables salines qui semblent se perdre à l'horizon et d'énormes volcans. Dans la région montagneuse située au centre - nord sont réunies les conditions climatiques permettant le développement de la forêt vierge subtropicale de* Yungas, *ce grand biome se divise en fonction des diverses altitudes de sa flore. Sillonnées par les fleuves* Calchaquíes *et* Santa María, *les Vallées* Calchaquíes *sont disposées de manière longitudinale dans la zone centre - sud et forment une inmense dépréssion géologique composée de vallées fertiles et d'étendues désertiques. Vers l'est, les limites sont marquées par les impénétrables montagnes du* Chaco Seco.

Le nord - ouest renferme les vestiges de civilisations antiques prises dans les stupéfiantes tonalités de ses paysages et les traits burinés de ses habitants. Histoires de communautés aborigènes qui ont résisté, comme elles ont pu, depuis leur camp retranché aux attaques des colonisateurs espagnols, ou de massifs montagneux hauts en couleur qui jouent comme des décors ondulés pour des carnavales et des fêtes religieuses. A mi - chemin entre le terrestre et le spirituel, la Quebrada de Humahuaca *déploie son magnétisme comme une œuvre d'art sur les terres de* Jujuy, *sa quiétude existentielle fait partie des formes taillées capricieusement par la nature comme s'ils s'agissait d'une sculpture.* La Quebrada *(faille) de* Humahuaca *a été déclarée Paysage Culturel de l'Humanité par l'UNESCO.*

◄ **(P. 120-121)** Provincia de Jujuy
Fiesta religiosa, Casabindo
Religious festivity, Casabindo
Fête religieuse, au village de Casabindo

Provincia de Jujuy
Localidad de Purmamarca
Purmamarca town
Localité de Purmamarca

Tamales I Papines andinos I Mote
Tamales I Andean new potatoes I Mote
"Tamales", Plat typique à base de maïs I Pommes de terre andines I Maïs andin

Provincia de Jujuy
Pucará de Tilcara
Pucará de Tilcara
Site de Pucará de Tilcara

Provincia de Salta
Salinas Grandes
Salinas Grandes
Grands marais salants

Provincia de Jujuy
Pobladores de Humahuaca
Humahuaca inhabitants
Habitants de Humahuaca

► **(P. 128-129)** Provincia de Jujuy
Cerro de los Siete Colores, Purmamarca
"Seven Colour Mountain", Purmamarca
"Montagne aux Sept Couleurs", Localité de Purmamarca

Parapente, provincia de Tucumán | Catedral de San Francisco, ciudad de Salta
Paragliding, Tucumán province | San Francisco cathedral, Salta City
Parapente, province de Tucumán | *Cathédrale de* San Francisco, *ville de* Salta

Telero, provincia de Salta I La Paleta del Pintor, provincia de Jujuy
Telero, Salta province I "Painter´s Pallet", Jujuy province
Tisserand, province de Salta I "La palette du Peintre", province de Jujuy

► **(P. 132-133)** Provincia de Jujuy
Quebrada de Humahuaca
Quebrada de Humauhuaca
Faille de Humahuaca

Provincia de Jujuy
Cuesta del Lipán
Lipán Slope
Flancs du mont Lipán

Provincia de Salta
Cuesta del Obispo
Obispo Slope
Flancs du mont Obispo

► **(P. 136-137)** Provincia de Salta
Localidad de Iruya
Iruya village
Village de Iruya

◀ **(P. 138-139)** Provincia de Tucumán
Ruinas de Quilmes
Quilmes ruins
Ruines de Quilmes

Provincia de Jujuy
Camino de montaña
Mountain trail
Chemin de montagne

Provincia de Salta
Tren a las nubes
Train to the clouds
Le Train des nuages

Provincia de Catamarca
Cuesta Minas Capillitas
Minas Capillitas Slope
Montagnes de Minas Capillitas

Créditos fotográficos
Photograph credits I Crédits photographiques

Nicolás Anguita: fotos pág. 12-13, 30, 66-67, 76-77, 82-83, 142-143; **Enrique Limbrunner:** fotos pág. 15, 26-27, 92-93; **Pepe Mateos:** foto pág. 112-113; **Diego Martínez:** foto pág. 115; **©Fotobaires.com:** foto pág. 20; **Archivo Dirección Nacional del Antártico:** fotos pág. 40 (Sergio Policastro) y 41 (Jorge Lusky); **Secretaría de Turismo de La Rioja:** foto pág. 84-85 (Adolfo Scaglioni); **Casa de Turismo de Corrientes:** foto pág. 104; **Secretaría de Turismo de Salta:** foto pág. 141; **Ente A. Tucumán Turismo:** foto pág. 138-139.

Agradecimientos
Acknowledgements I Remerciments

Secretaría de Turismo de Salta, Secretaría de Promoción Institucional de la Provincia de La Rioja, Ente A. Tucumán Turismo, Casa de Turismo de Corrientes (atención Sr. Gabriel A. Azize), Fotobaires Deportes, Archivo Dirección Nacional del Antártico, Lawrence Haas, Arnaud Ryser.

Argentina en Imágenes

Primera edición

Abril de 2009

Impreso en Mundial S.A.

Buenos Aires - Argentina